서문

이 책은 어린이들의 상상력과 창의력을 발휘할 수 있는 활동을 위한 특별한 컬러링 북 입니다. 동물은 어린이들에게 매우 흥미로운 주제이며, 다양한 동물이 실려 있는 이 컬러링 북은 호기심 많은 어린이를 상상의 세계로 안내할 것입니다.

다양한 동물의 특징을 살려 각각의 페이지에 그림을 담은, 이 책을 통해 아이들은 상상력과 창의력을 키울 수 있습니다. 또한, 창의적인 색상 조합을 시도하고, 자신만의 방식으로 표현하여 미술적 감각 발달은 물론 시각적 기억력에도 도움을 줍니다.

이 컬러링북을 통하여 그림을 그리는 즐거움을 느끼는 동시에 감수성과 집중력을 키울 수 있습니다. 자신만의 색채로 그림을 채움으로써 색에 대한 이해도가 높아질 것입니다. 풍부한 상상력을 통해 시각적인 표현을 하는 작품을 완성시켜보는 경험은 아이들의 자신감을 키우는데 큰 도움이 될 것입니다.
감사합니다.

책제목 Animals coloring book

발 행 | 2024년 2월 28일
저 자 | 가은
펴낸이 | 한건희
펴낸곳 | 주식회사 부크크
출판사등록 | 2014.07.15.(제2014-16호)
주 소 | 서울특별시 금천구 가산디지털1로 119 SK트
윈타워 A동 305호
전 화 | 1670-8316
이메일 | info@bookk.co.kr

ISBN | 979-11-410-7429-6

www.bookk.co.kr
© 가은 2024